此の世の
全容解明
に成功!!

魂発見　あの世の存在を証明する
究極の真理Ⅲ

大野 聖

文芸社

はじめに

此の度、前作において発見した非物性、その永遠性をもって時間を超越し、非物性の非空間性をもって無限を掌中に捉えて、時空の完全掌握に成功した本理論は、人間思考が極致に到達した証しであって、此の世の全容解明を凌駕した人類が、一挙に神の領域への距離を狭めたエポック・メーキングとして記憶される筈です。此の先は、神の領域です。

神は畏敬にして、それを知る人間も称美に価するでありましょう。

これが此の世の全容にして絶対の真理なのです。

優に半世紀を超える哲学的追究を支えてくれたのは、現代科学の凄まじい進展でした。

アインシュタインの数式 $E = mc^2$ を思考の理念に据えた私の論理は、奇しくもアインシュタインが懐疑的だったという量子力学における「量子もつれ」の現象等によって、将来裏打ちされる可能性を期待させてくれています。

先の、人生の価値の有無を断定した、生の大肯定理論の出版に際しては、進化論的思考が少なからず関わっています。

さらに此の世の始期の究明の過程におけるビッグバン理論は、神の存在を論理的に解明する栄誉に導いてくれました。

今回、人類の最終課題である魂の所在の発見とあの世の存在の証明を通して人間意識の限界への到達の証しとするに当たっては、量子力学における特異な現象が論理の光明となる可能性を有しているのも事実です。

「生の大肯定」「神の存在証明」そして「魂とあの世の存在証明」と、これら人類の三大難問《ゴーディアンノット》をクリアした一連の理論は、前人未到の世界を御覧いただける極致のドラマであり、〝此の世の全容を解明した究極の哲学〟と敢えて呼ばせていただければ冥加に余る思いです。

非力を顧みず人間思考の限界に愚直に挑んだ理論に一切の妥協や諂い等々あるべくもなく、ひたすら厳格かつ厳密に一段一段思考を積み上げた末の到達点であることを誓言するものです。

なお、正当なる理解に供するため、前二作の『究極の真理　生か死か　人間とは宇宙とは』（以下、Ⅰ）と『神の存在を証明する!!　究極の真理Ⅱ』（以下、Ⅱ）の抜粋を掲載いたしました。

あの世の発見に至った論理の道程としてお読みいただければ幸いです。

なお、更なる詳細につきましては、お手数ながら前二作を直にご参照いただくとともに、論理論点の進展に伴って必要とされる解釈上の整合性等につきましては、諸氏のフレキシブルな思考に多くを期待させていただければ幸甚の一語に尽きます。

本論考が道を求める人々の標となり、延いては、人類の全員幸福への一助とならんことを切に願う次第です。

目次

第一章
これまでの論理の大要

第一章　これまでの論理の大要

Ⅰ　此の世は物と観念から出来ている（人間は物と観念との世界に生きている）

物：人間の五感の対象となり得るもの

観念：人間が考えたものであって人間の脳髄の中にだけ存在し得るもの

Ⅱ　無から有は生じない

無とは物が一切存在しないことであるから、無は物ではない。したがって無とは観念である。因みに、空間（物と物との間）すらない。

これにより無（観念）から有（物）は生じ得ないとの結論に至る。

派生秩序は、物⇓人間→観念の順となる。

Ⅲ　物の起源は物の前なるものが何もないため、**無限の過去に遡る。**

これは、物が無限の過去から無限の時間を存在してきたことを意味する。

ゆえに**「最初の物」は、無限の過去から無限の時間を、起源時の姿のままで存在**してきたことになる。

したがって**「最初の物」**は**「不変物」**であることが判明する。

（因みに無限の時間は此の世の最大時間である）

Ⅳ　しかし「最初の物」（元始宇宙すなわちエネルギーの集積）は、現にビッグバンを通して現今宇宙へと大きく変化している。

Ⅴ　モノを変化させるためには**図式（思考）**と**力（エネルギー）**が必要

しかし「最初の物」は此の世の最大時間を何一つ変化せずに存在してきた不変物であるから自力での変化は不能との判断に至る。

Ⅵ　**「最初の物」の変化には外《そと》からの働き掛けが必要**

Ⅶ

働き掛けの主体は物の範疇外にあることから**「非物性」**

これこそが**神**と称されるものである。

Ⅷ

「非物性」との関係性において物の起源を求めるとき、**「不変物」**が**「非物性」**を**生じせしめることは不合理である**ことから、**派生秩序は非物性⇓物↓人間↓観念の順**となる

Ⅸ

かくして神は、自らのエネルギーで物（元始宇宙すなわちエネルギーの集積）を造られ、それに自らの図式と力で変化を及ぼし、現今宇宙を創られたとの理解に達する

第二章
「自分識」とは何か

第一節　問題の提起

「コギト・エルゴ・スム」（Ⅱ　補注／本書98頁）

哲学者デカルトの有名な言葉です。

「われ思う。ゆえに、われ在り」

これは〝現に考える自分の存在は認めざるを得ない〟と解されています。此のときの意識された自分、これこそが「自分識」なのです。

神の存在が明らかとなったいま、「自分識」は自らの死生観にどんな効果をもたらすのか。

自分の明日が叶わぬ不条理、自分への愛着、そしてあの世への期待。それは取りも直さず「自分識」への期待へと連なるのです。

第二節　「自分識」の発生メカニズム

一　連動のメカニズム

人間の脳は、ヒトの脳（乙）と余裕脳（甲）とが一体となって形成されていると考えられます。（Ⅰ　第二章／本書59頁）

見つめる作用と其のレスポンス作用は、共に連動作用の表と裏の関係にある。

①乙がXを知覚

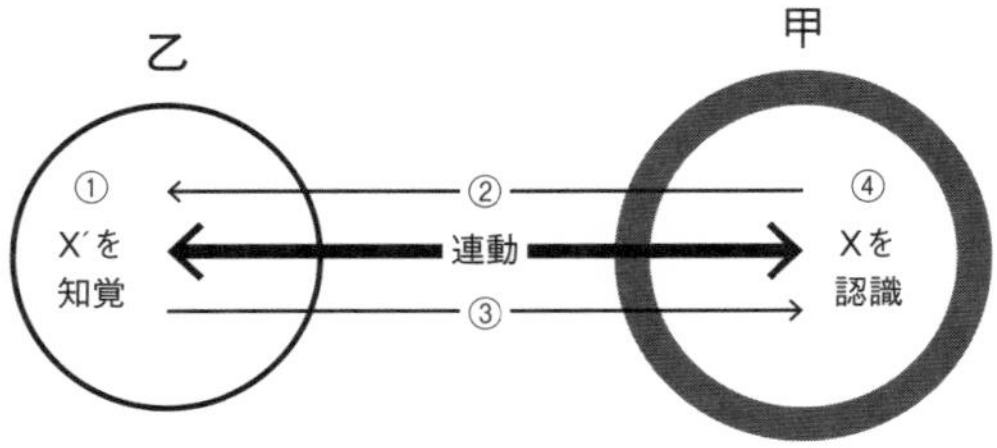

②連動作用に誘発された甲の見つめる作用が乙
　の知覚Xを見つめる
③連動作用に誘発された乙のレスポンス作用が
　甲に伝達される
④甲が乙の知覚Xを認識する

二　「自分識」発生のメカニズム

①甲から見つめる作用が乙へ
②乙の知覚が甲へ
③甲において自己同一が起こり新しい意識
　「自分識」が発生

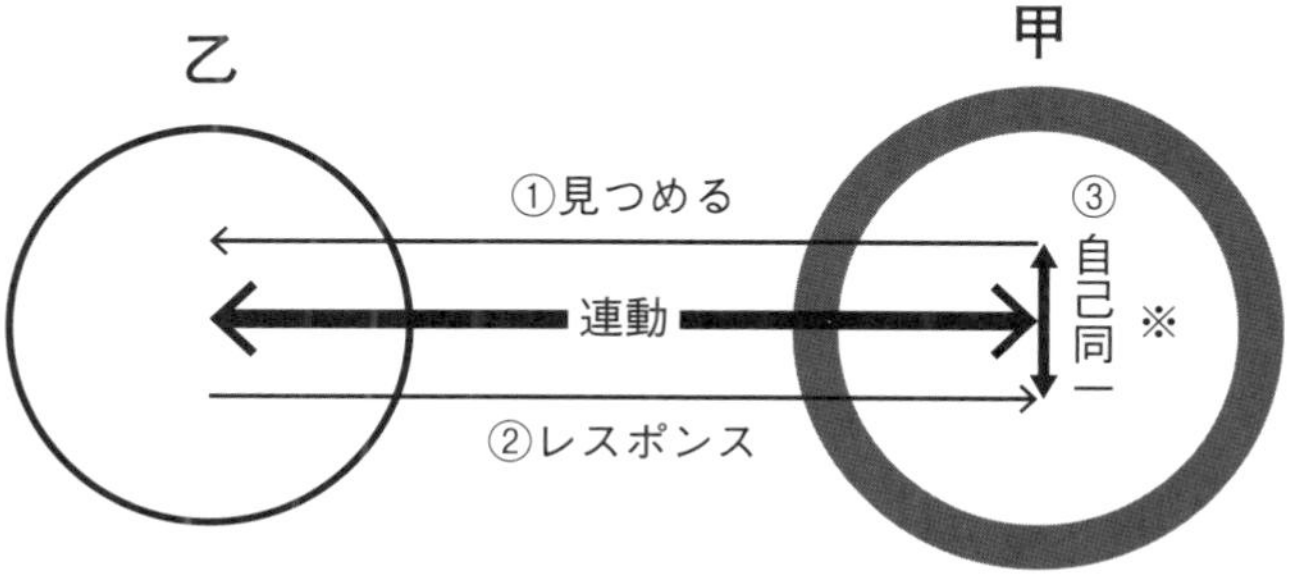

※「自分識」の発生

見つめる元《もと》（当初は無主体。次の自己同一によって主体が形成される）に、見つめられた客体のレスポンスがもたらされることに因って、見つめる元が見つめていることに気付く。此の気付きこそが「自覚」であって、自己の意識であり「自分識」となります。

第三章

「自分識」の世界

第一節　五感の対象外

一　直観的事実

直観的事実として自分識は五感の手前（内側）にあります。此のことは五感的情報を自分識が見つめていることからして自明の理といえるでしょう。五感の対象と成り得るものは、五感の先にあります。五感の対象と成り得ないものは、五感の先にはありません。五感の対象と成り得ないものは、五感の手前にあるのみです。

したがって自分識は五感の対象とは成り得ないことが判明します。

また、自分識は主観であって、決して客観ではないため五感の先にあることは絶対にありえず、此のことは常に五感の手前にあることからも明らかです。

加えて、これも直観的事実として、自分識が五感によって知覚されているとの認識は皆無であることは自明の事実です。

二　他人の自分識は知覚可能か

自分識は主観です。

人間が他人の自分識を知覚しようと試みる場合、たとえ知覚できたとしても、それは五感の対象と化した客観としての自分識であって、いわば外から観ている自分識の形骸に過ぎません。

これは主観としての自分識即ち内から観る自分識の実質（実体）とは異質のものと言わざるを得ません。ここに他人の自分識を知覚することの限界があるわけです。

客観は距離を置いて知覚したものであって、この場合の距離とは五感を指すことになります。したがって主観の知覚には距離を置かず、それと一体とならなければ知覚したことにはなりません。要するに距離即ち五感は介在してはならないし、介在し得ないのです。

これにより自分識が他人の五感によって知覚されることはないとの結論に達するのです。

三　物ではないがある

自分識が五感の対象となることは絶対にあり得ないのですが、実際はあるということになります。自分識は「物」ではないがあるという変則な事実となるのです。

自分識は五感では促えられないがあるのです。

四　無原因的発生

前項において画期的発見がありました。

自分識は物ではないとの覚醒の事実です。

では物ではない自分識は、いったいどのようなメカニズムで発生するのでしょうか。

そこにはこれまでの古典的な物の発生とは懸け離れた、異次元的メカニズムが隠されているに違いないのです。

連動する力と見つめる力そしてレスポンスの力の三者の間に、次の構図が生まれます。

連動力をE、見つめる力をベクトルa、レスポンス力をベクトルbとしたとき、
a＝E　b＝E　a＝b＝E　となる。これはaとbとは連動力の表と裏の関係にあるからである。

　個体の成長に連れて適度に成熟した余裕脳（甲）において、ベクトルａとベクトルｂが働いた時点、すなわち甲から乙へ向かうエネルギーをマイナス、乙から甲へ向かうエネルギーをプラスとした場合、（－a）＋（＋b）＝０となった瞬間、エネルギー収支が符合することになります。

　つまり甲から乙に放出されたａのエネルギーの減少分を乙から甲へ放出されたｂのエネルギーが補完（穴埋め）した一瞬間、甲のエネルギー収支はゼロとなります。

　此の甲におけるエネルギー収支ゼロとなった一刹那に、これまで無主体であった見つめる元が見つめ

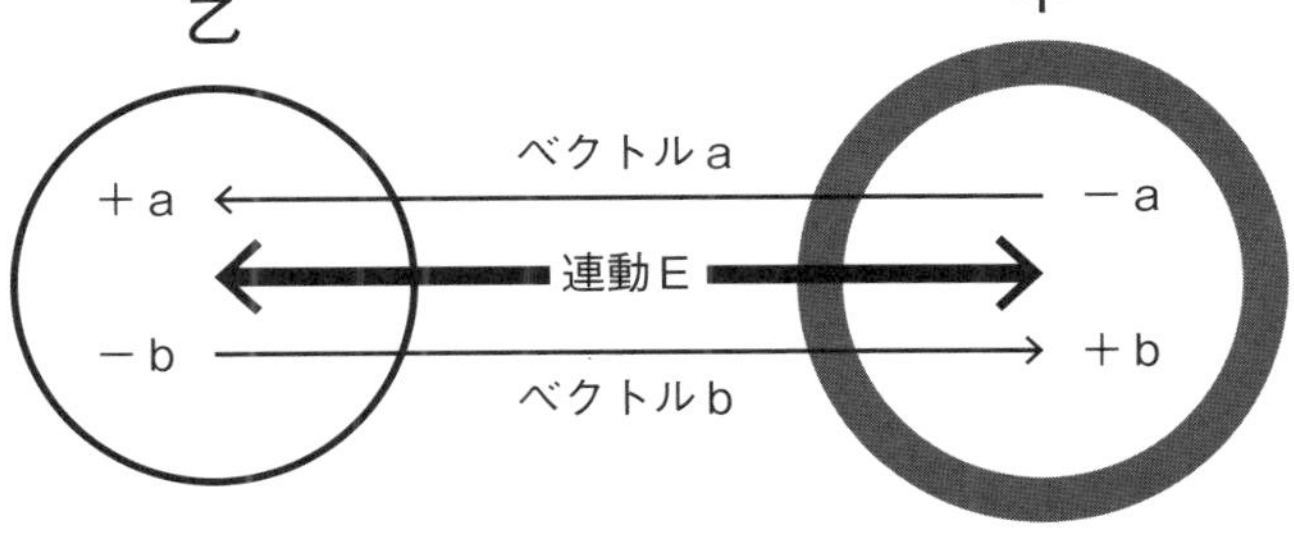

ていることに気付くことによって自己同一が起こり、自分識が発生するものと考えて然るべきものと思料できます。

此処で肝要なこと、それは自己同一そして自分識の発生が、甲のエネルギー収支ゼ、ロ、の、場においてて起こる点です。

甲のエネルギー収支ゼロの場とは、甲としてのエネルギー量が一定かつ不変に保たれた一瞬の時間上を示しています。此のことは、此の発生が甲の全部はもちろん、一部の変化でもあり得ず、まったく新規・別物の発生であることを物語っているのです。

仮に変化とするならば、変化したエネルギー量だけ甲のエネルギー量に変動（減少）を生じて然るべきであるからです。

此のことから、自己同一、自分識は、甲という物性エネルギー上にあって、其の物性エネルギーに変動を来さないままに起こり、かつ発生する実態が見えてきます。

此の無原因的発生は物性エネルギー界のものではなく、非物性エネルギー界の現象として捉えざるを得ないことになるのです。（Ⅱ　第六章／本書85頁）

五　五感識別域

　自分識は五感の手前にあるので五感識別域（人間が五感によって認識可能な領域）は、A氏の場合は、A氏自分識の外側から始まってB氏自分識の手前まで、B氏の場合はB氏自分識の外側からA氏自分識の手前までとなります。

　これは五感識別域が、人間界において普遍であることに基づくものです。

　つまり、ある一人の人間が五感識別不能な対象は、他のすべての人間においても五感識別が不能な対象であるということです。

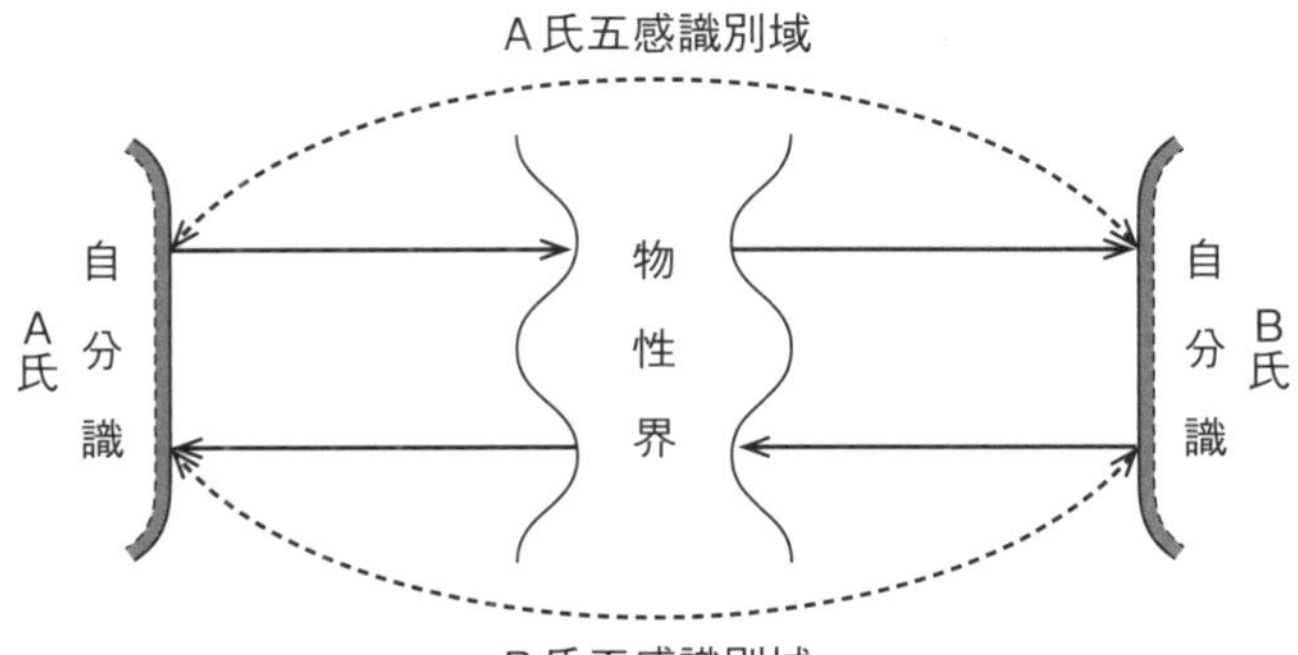

自分識と五感識別域

Ａ氏が五感識別不能な自己の自分識は、個々の人間においてもそれぞれ五感識別が不能であることは言うまでもなく、此のことが他人の自分識に対する五感識別さえも不能であることを意味する点が重要となります。

要するに、他人の自分識は、外から見る者からして五感識別域の奥にあるから五感識別は不能となると解釈できるわけです。

これによって導かれる事実は、

①人間は当人の自分識は元より、他人の自分識をも五感によって知覚することは
　不能

②これにより、自分識は物ではないとの確定に至る

となります。

端的に言えば、自分識は〝自分を意識する当人しか知覚し得ないし、しかもそれは五感によるものではない〟ということになります。

六　検証　神の数式

これまでの論理を通して「物」と「自分識」との間に、次の数式が浮かび上がってきます。

1　自分識がない物は、物そのものであって、物であることに気付かない
2　自分識がある物すなわち『**物＋《プラス》自分識**』は、物であることに気付く
3　このとき自分識は物以外であることを要する
4　ゆえに自分識は物ではない

神の数式は極めて簡潔かつ明快であり、人間にとって複雑怪奇な論理を、いとも簡単に明解へと導く合理性を持ち、正当性は疑うべくもないのです。

第二節　非観念

人間は物と観念との世界に生きています。自分識は前述のとおり、物でないことが判明しました。では観念なのでしょうか。（Ⅱ　補注／本書101頁）

観念とは、人間が脳において考え出したものであり、其の考える主体は自分識です。考えるためには先に主体が存在する必要があり、自分識が先にあっての観念ということです。

自分識が観念でないことは、明明白白な事実ということになります。

第三節　「自分識」は非物性

此の世は物と観念から出来ています。では、物ではなく、観念でもないものとは、いったい何なのでしょうか。

私は前作『究極の真理Ⅱ』において「神は元始宇宙という総体の外《そと》に在る。これは神の『非物性』を顕示するに外ならない」として非物性の存在を証明しました（本書85頁）。

これは飽くまでも神に限った証明でした。しかしいま、非物性の世界が新たに姿を現したことになります。

それは正に、神、そして〝自分識〟から成る別世界なのです。

第四節　検証「自分識」と「量子もつれ」

記憶は定かではありませんが、こんな話を聞いたことがあります。

太平洋側の海辺に棲む野猿が、ある時期から餌の芋を海岸で洗って食べるようになったそうですが、時を同じくして遠く離れた日本海に面した海辺に棲む無縁の野猿たちにも、同様の行動が見られるようになったのだそうです。

近代、量子力学の分野で不可思議な現象が確認されているといいます。「量子もつれ」です。

どんなに離れた量子相互間であっても、光速を超えたスピードで情報伝達が行われているとしか考えられない現象があるというのです。

アインシュタインは特殊相対性理論で、光より速いものはないとしています。では、量子間の光速を超えるスピードとの矛盾は、どう解決したらよいのでしょうか。

思うに、非物性界の存在が哲学的に証明されたいま、例えば斯くした考えは受け入れ可能でしょうか。

つまり、光より速いものがないのは、飽くまでも此の世、すなわち物性界の話であって、非物性界ならば光速にとらわれる必要はないのではないか。すなわち、物性界は情報の伝達に「物」を媒介させるから光より速いものは考えづらいのではないか。

量子は無の空間から突発的に生じたり、消えたりもすると聞きます。これも量子が、物性、非物性の両性質を持っていると考えれば、理解し易いのではないでしょうか。不可思議な量子もつれも、非物性を加味して考えれば合点が行きはしないでしょうか。

自分識に関しては直非物性の事象であり、無からの発生にしても、それに先立つ非物性界との何らかの連関を推測させるものがあります。

自分識は小さいとはいえ、主体です。主体といえば神。此の共通項という連関性において物性ゼロエネルギーの時空を埋める現象が、光速を超えるのではないでしょうか。

野猿たちの例にしても、サルの脳に僅かでも非物性の可能性が存在するとすれば、問題を解く鍵になりはしないかと考えるのは、独善的過ぎるということでしょうか。

非物性界における時間と空間

そもそも非物性界に時間や空間といった概念は存在するのでしょうか。

仮に存在しないとするならば情報伝達が光速を超えたり、何らの介在も要せずに伝わったり、更には物の生滅も拒絶反応なしで受け入れられそうです。

なぜなら空間が無ければ距離は有り得ないはずであり、また時間も無ければ速度といった概念は生じ得ないからです。

さらに情報伝達が何らの媒介も必要とせずに成立するのは当然です。

すべては直《ちょく》に伝わるはずですから。

斯く考えると前述した〝自分識の無原因的発生〟にまつわる疑問も氷解の方向に転じはしないでしょうか。

第五節　検証「自分識」とブラックホール

「自分識」は五感の内側にあります。あるが五感では何も見えないものです。

まるで光まで呑み込む、宇宙のブラックホールのようです。

ブラックホールの先は、何処につながっているのでしょうか。少なくとも「自分識」の先は、神の世界につながっていることが判明しつつあります。

それも光速を超えるスピードで神とつながっているとなれば、人間の自分識が即時的に神に筒抜け状態にあるのではないかとの臆測が脳裏を過ります。

神はすべてをお見通し状態にあると。

第四章

「魂」の発見

「肉体は滅んでも魂は生きつづける」といった話を聞いた人は多いと思います。

確かに肉体が滅するのは事実ですが、では魂とは、いったい何を指すのでしょうか。

それは言うまでもなく「自分」ということであって、自分の心、つまり自分の意識ということになります。

此の際自分の意識とは「自分識」を指していると考えて然るべきと思われます。

では自分識はというと、これまで考察してきたとおり、物でも観念でもなく非物性であることが導き出されています。

非物性は神の世界でもあって最大単位（大本の意）です。

つまり終わりがない世界です。すなわち不滅なのです。

自分識は正に不滅なのです。

いヽヽ、ヽヽ、ヽヽ
不滅の自分識、これ以上に魂と呼ぶに相応しいものは外にはないと断言できます。

第五章

あの世の存在証明

第一節　非物性性

神は最大単位であって不滅です。人間の自分識も不滅です。神の他にも不滅のものがあるということは、イコール不滅の世界があるということと同値です。

自分識の非物性性こそ、あの世の存在を如実に物語る正に生き証人なのです。

第二節　再会

再会は、あるのでしょうか。

先にあの世に逝った人との再会を願う人は、少なくない筈です。

魂は非物性であって、非物性は此の世の最大単位であって不滅です。とすれば先にあの世に逝った人は、あの世でいつまでも不滅でありつづけていることになります。

消極的に見ても、再会の確率が低いとは考えづらいものがあります。では、それは一体どんなシチュエーション下で執り行われるのか。そこには神秘のシナリオが、周到に準備されているのでしょうか。

そして、神――。

第六章
神の存在証明

自分識は五感によって捉えられるものではないがある、これは直観的事実です。

私は前作において、神の存在を証明しました。

神は非物性であるゆえ五感では捉えられない位置づけにありますが、存在されると。

そしていま、そこが非物性界という一つの世界であることが明らかとなったのです。

自分識の存在は、正に神の存在を確証するに十分なのです。

神によって創られた物性界に生まれた人間が、自らの存在によって母なる神の存在を証明するに至ったことになります。

「われ在り　ゆえに　神あり」なのです。

第七章
此の世の全容を解明した哲学

カオスそして神の心へ

自己同一の一瞬に非物性の自分識が生じることからして、自分識の非物性界との連関が覗われます。

瞬間的に非物性界からの何らかのエネルギー伝達があったのではないか、とすれば、そこに神の洞見が垣間見える気がします。

神と自分識とは、意外に近いのでは。瞬時にして、人間界の情報が神へ伝わっているのではとの思いがします。

人間には「良心」があります。本来、物には心はないと理解されていますが、人間の持つ心は、たとえ進化の産物としても、それは創造主、神からの授かり物に違いありません。「良心」それは神の心の分身と知るべきです。仮に此の良心が人間の行動を評価するために付与された指標だとしたら、神は逐一、個々の人間の行状を観察そして収集されていると考えるべきではないでしょうか。

では一体、其の評価は如何、使われるのでしょうか。恐らく、人間の思う所は大同小異に帰するとの推測が浮かんできます。

果たして神の裁きはあるのか。

人生の生きる価値は絶対です。神は居られ、そして、あの世は存在します。

此の世を如何に生きるべきか。答えは良心を授かった日に、持たされていた筈です。

正当な哲学があってこそ正当な人生観が生まれ、正当な人生観が地上に満ちてこそ正当なる世界が構築され得ると固く信じ、一日も早く全人類の幸福が実現されることを切望してやみません。

人生の大肯定理論に始まり、神の存在証明、そして魂の発見とあの世の存在証明――。

此の一連の論理をもって、古来営々として勤しまれてきた人類の此の世の全容解明への飽くなき探究のカオスを抜け、その結実への基調とならんことを切に希求するものです。

必然性の論理

斯くして非物性の永遠性をもって時間を超越し、非物性の非空間性をもって無限を掌中に捉え、時空の完全掌握を果たした本論理は、人間思考の極みを如実に示すものであり、此の世の完全解明を超えて神仏の領域を指呼の間に仰ぐ位置にまで到達したことを意味します。いま人類文明は、新しい時代の到来の中にあります。

これが此の世の絶対の真理であり、神が黙示のうちに示された玄理であると確信するものです。

神の発見が魂の発見へと連なり、それがあの世の証明へ、そして延いては此の世の全容解明へと一元的につながったことは、神が此の世の真の本源であることを、これ以上に雄弁に語るものは外にありません。

ここに、神との整合を果たした本論理の整合性を顕示するものです。

思うに、六年前に出版した『究極の真理　生か死か　人間とは　宇宙とは』において「吾に死は無い」との大言壮語的論述を展開いたしました。現状としての意味合いこそ違え、未だ神との遭遇前にして、まして魂発見前であって、なおかつあの世の存在証明前のことにもかかわらず、無意識下において全容を予見させるかのような論理展開になっていたことに運命的な縁を感じざるを得ません。

これを本論理の整合性かつ必然性の一理としつつ、全編を貫く大いなるサジェストを運命の導きと深く意識し、感謝の念を新たにするものです。

補注

前著より

本書のコメンタールとして左記の前著二冊の一部を以下に収録する。

『究極の真理　生か死か　人間とは　宇宙とは』

（二〇一七年六月刊）

『神の存在を証明する!!　究極の真理　Ⅱ』

（二〇二一年七月刊）

吾と我

（『究極の真理』第二章第一節）

一　〝われ〟とは何か

〝われ〟、私たちはよく斯く言い、また斯く意識しています。そして、〝われ〟を意識する以上、当然のこととして相手方をも認知しています。相手、其れは他人であり、即ち〝われ〟以外の存在です。

〝われ〟は此処に在って常に他人を観察しています。他人である彼は、所謂人間の形態を成しています。身長何センチ、体重なにがしといった具合です。背の高い人もあれば太った人もいる。女性もいれば男性もいる。若い人もいれば年老いた人もいる。まことに千差万別なる様相を呈して〝われ〟の前に展開しています。正にさまざまな様相を呈して。私たちは常日頃このようにして他人を見ています。

つまり、他人とは——われの前の他人とは——見える他人なのです。触れることの出来る他人なのです。即ち物理的なる存在としての他人なのであって、其れは即ち個体としての、肉体としての人間に外ならないのです。彼は物理的存在としての肉体なのです。

そして事実は、総ての他人が正にそうなのです。総ての他人は物理的存在として〝われ〟の前に存在している——此処で思い当たること、其れは、〝われ〟とても他人の前には物理的な存在として立ち回っているに違いないという当然の理です。他人は総て個体であり、且つ〝われ〟も其の他人の前に個体として対峙しているのであるとするならば、〝われ〟という此の存在は個体そのものであると言って過言ではないように思えます。此処に人間の思索を攪乱する一つの罠《トラップ》があります。

斯くして人間は、其の自我意識成立の端緒に於いては、全てを物理的個物として捉えることに終始し、そして其処に自我が確立したかのごとく思い込んでしまう性向があるのではないでしょうか。

〝われ〟とは物理的存在にして且つ其れは個体であり、即ち肉体であると。だがしかし、何か未だ割り切れない思いが脳裡を掠めます。例えば思考ということ。此れは多くの先人たちが人間の最大特長だとし、現在を生きる私たちも事実此のことを微塵も疑おうとはしません。では、考えているのは誰か、と問われたとき、私たちはどう返答するでしょうか。

多くの場合、其れは〝われ〟であると答える以外に適当な手立ては無いように思われます。実際そうに違いはないのです。だがしかし、其れをもって直ぐ様此の場合に〝われ〟イコール肉体と解して、不都合は生じないでしょうか。肉体全体が思考しているのであると解釈するには、何か不合理が感じられはしないでしょうか。考えているのは爪先ではない、そうかといって背中でもない。だがしかし疑いも無く〝われ〟であるという、此の事実なのです。即ち、思考しているのは肉体全体ではなく、其の肉体のほんの一部分でしかないにも拘らず、其れは〝われ〟であるという直証的事実なのです。

考えるということがどういうことであるかは、此処では詳しく触れることは避け、後に譲ることにします。ただ此処で気付かねばならないこと、其れは、身体のほんの一部分の機能活動に〝われ〟が其の主体となっているという紛れも無い事実です。考えているのは他人ではない、〝われ〟がいま現に考えているのですが、しかし其の〝われ〟は決して身体全体ではないという理論前の事実です。斯くして此処に、此の〝われ〟は身体全体を代弁する〝われ〟から、単に其の一部分の〝われ〟へと場所を異にして独立せんとしてくることになるのです。

此の考えている〝われ〟と、此の肉体としての〝われ〟との間には、直ぐ様イコールでは結びつけることの出来ない、否、決して結びつけることの出来ない何ものかが存在することは疑を入れません。

私たちには斯く言うことが許されましょう。「此の肉体は、〝われ〟のものである」と。自分を指して「此れは他人の肉体である」とは言えません。どう見ても此の肉体は〝われ〟のものでしかないのです。とするならば、此処に〝われ〟の全く新しい形態の存在が鮮明化してくることになります。

「此の肉体は、〝われ〟のものである」

此の表現のうち、先ず下段のわれのものについて考えてみることにします。

〝われのもの〟即ち〝……のもの〟とは、明らかに其の所有主体を暗示させます。では其の所有主体とは何かと言えば、それは言うまでもなく〝われ〟以外の何ものでもないということになります。〝われ〟は何ものかを所有していることになります。何ものかを指して自分のものであると主張しているのです。――何ものか、其れは肉体、上段の「此の肉体」を指しているに外なりません。

或るものが或るものを所有するとき、其の所有する或るものは、其の所有される或るものを何らかの形に於いて超越していなければなりません。即ち、所有するものとされるものとは、対峙関係にあって、さらに其の上に何らかの主体と客体との関係になければならないのです。

言葉上では「甲が甲を所有している」とも言えないことはありません。だがしかし此の場合、所有主体甲と所有客体甲とは同一であることから、其処には事実関係に於ける矛盾が生じてきます。初めに所有主体甲を考慮して、次に所有客体甲を意識したとすると、対象は甲一つしかないのですから、此のとき所有主体として先に置かれた甲は観念と化してしまうといった事態になってしまいます。

すなわち観念と化した甲が物である甲を所有するという論理になってしまうのです。「甲が甲を所有する」という言い方は空言であって、何ら実態を伴っていないのです。此処で明らかになること、其れは同一体に於いて所有・被所有の関係は成立し得ないということです。

「此の肉体は、〝われ〟のものである」

と言ったとき、確かに或る何ものかが其の肉体を見つめていることに気付きます。即ち、或る何ものかが其の肉体を意識しているのです。此処で其の見つめられている肉体と、其の見つめている主体との間に、何らかの違相の介在を十分読み取ることが出来ます。此処に於いて所有の問題は、見つめる主体と、見つめられる客体との違相・分離の問題となってきます。

即ち、見つめている何ものかと、見つめられている肉体とは、決して同一の関係にはなく、見つめている其の何ものかは所有主体として、そして見つめられている其のものは所有の客体として、各々別個の存在としての対峙関係にあることになります。

此の所有主体は言うまでもなく〝われ〟であるわけですから、此処に〝われ〟と肉体とは分離します。〝われ〟と肉体とはその所有関係に於いて同一体であることは許されないのです。同一体では居れないところに〝われ〟は肉体としてのわれを超越することになるのです。

がしかし、前にも述べたように対他人との関係に於いて、〝われ〟が肉体であることとは何の不都合もないわけですし、私たちが極めて普通に意識していることですから、此処に此の種の〝われ〟を〝我〟として、一つの自我意識として留め置くことにします。

では、もう一つの〝われ〟、肉体と同一では有り得ない〝われ（吾）〟とはいったい何ものなのでしょうか。

此処で肝要なこと、其れは、吾は肉体以前に〝われ〟であるという直証です。即ち、前に述べた我は吾に見つめられた肉体としての〝われ〟以外の何ものでもないのに対し、吾は其れ自体で〝われ〟であるという点です。即ち此の吾とは、独立主体としての〝われ〟とでも言い得る体のものです。そして此れこそは真に自我意識の根源となるべき〝われ〟であり、我の前なる〝われ〟なのです。

「我」が対物理的場面に於ける自我に留まるのに対し、「吾」は「我」を凌駕する主体的自我であると言い得ましょう。そして事実、此の吾こそは、人間の知覚・思考などの一切の主体となるべきものなのです。

二　見つめる力

「此の肉体は〝われ〟のものである」と言ったとき、取りも直さず吾が我を見つめている状況を表現するものと解釈出来ます。では、此処で言う見つめるとは一体どういうことであるのか、其れはいったい何を意味するものであるのか、そして見つめる力とは何処にどのようにして存在しているのか等々について考察を加えてみたいと思います。

見つめるとは勿論或るものが或るものを見つめるわけですが、此の場合、或るものともう一方の或るものとは決して同一のものでは有り得ません。見つめるものと見つめられるものとの間には、常に何がしかの隔たりがなければならないのです。つまり、主体と客体との関係が其処に存在していることが前提条件となります。主体と客体との関係、そして其処に存在する何がしかの距離があって初めて見つめるという作用が可能となってくるのです。

それでは、人間に於いて、此の一個体に於いて、見つめるという作用は如何にして実現され得るのでしょうか。或る人間が其の人間を見つめるなどということが果たして可能なのでしょうか。

其の人間と其の人間との間には何の隔たりも無く、其のものは正に同一一体に外なりません。しかし、其の人間に於いて、其の人間内部に於いて、現に見つめる力が働いているという直証的事実を否定することは出来ないのです。人間は人間にして人間を超越していることになります。人間は人間にして人間を出ていることになります。人間を出たところに、人間は其の人間との距離を発見することになります。そして其処に於いて人間は人間を見つめることになるわけです。

では、人間が人間を超えるとは一体どういうことなのでしょうか。人間は果たしてどのようにして其の人間との間に距離を設け得るのでしょうか。

一個の人間が二つに分断しているようには見えません。がしかし、人間の内部には確かに超人間の力が作動しています。異質とも思える何ものかが其の内部にあって、人間を、我自身を見つめているのです。では其れはいったい何ものなのでしょうか。いま此処でイヌやウマなどの動物について少し考えてみることにします。

動物は果たして自分を見つめることが可能でしょうか。もし仮に自分を見つめ得るとすれば、動物は彼自身を超えていなければなりません。しかし、彼らは彼ら自身を超えているとは思えません。何故なら彼らは其の種の起源から彼らであるからです。

確かに其の外形などから幾多の変遷の痕跡を読み取ることは可能です。しかし、イヌがイヌを超え、ウマがウマを超えたことは無かった筈です。イヌもウマも生まれたままの四本足で地を駆け巡り、其の生来の習性を踏襲し、今日に至っているに過ぎないのです。其処には何らの改革も、彼ら自身によって提唱されることは無かった筈です。もし仮に変革があったとすれば、其れは単に外界からの圧力・強制でしかなかったと推察出来ます。其れは自然的要請であり、自然の意に迎合し協調するものでしかなかった筈なのです。

即ち、イヌもウマも詰まるところ自然でしかないのです。イヌもウマも決して超自然ではないのです。超自然であればイヌは超イヌであり、ウマは超ウマの筈です。しかし、現実にはイヌはイヌでありウマはウマでしかないのです。

人間もその昔には四本足で地上を駆け巡っていたように言われています。其の名はHomo sapiens即ち〝ヒト〟です。其の容姿は大部類人猿に相似していたとのことですが、では其の類人猿に酷似した動物が如何にして今日の人間と成り得たのか、如何にして超ヒトとなり、超自然と成り得たのか、正に興味のあるところです。

ヒトが思考を始めたとき、ヒトはヒトではなくなった筈です。自然の流れの中で足を止め、自らの時の流れを創り出したのです。思考作用の奥には、紛れも無く自然を対象として見つめる力が働いていることを、読み取ることが出来るからです。

いまヒトは自然を対象として見つめ、其れに思考作用を加え、彼自身の幸福のために、いま自然に対して変革を迫ったという事実が重要なこととして浮かび上がってきます。土を器に変形させ、火を熾して獲物を焼く……。即ち、自然を変革する術を身に付けたということ、此処にヒトが超自然となった証しを解読出来るのです。超自然、即ち超ヒトであり、其れはそのまま自我の誕生に連なるものであった筈です。此処に、ヒトはヒトを超えて人間としての第一歩を踏み出したのです。

では、人間がただ一人、他の動物と異なり超自然と成り得たのは、何に起因するものであったのでしょうか。如何にして人間は自然へ働き掛ける術を知ったのでしょうか。其の力を人間は何によって授かったというのでしょうか。

此の問いを考えるとき、私たちは己れの肉体的あるいは形態的特徴といったものに着目しないわけにはいきません。何故なら其れは人間の直立二足歩行と切り離して考えることは、絶対に不可能なことに思えるからなのです。

此のことは単に直立二足歩行が人間だけのものであるといった、そのような短絡的な理由からではありません。大切なことは、此の直立二足歩行という外形的・機能的変化が齎した肉体内部に於ける効果とも言える変化なのです。

実際其の変化には種々なる事柄が考えられるでしょうが、其の内で最も注目に値すること、其れは、直立二足歩行が巨大な、あまりにも巨大な脳髄を誕生せしめたという事実以外の何ものでもありません。直立することによってのみ支えられ得た巨大なる脳髄、此処にこそ人間誕生の場が構築されるに至ったという紛れもない事実を認めないわけにはいかないのです。

人間の脳髄は大昔から次第に其の容積を増大し、重量を付加してきたと言われています。其の傾向は現在もなお継続しつつあるとのことですが、それはともかくとして、其の異様なまでに発達し増大した脳髄は、奇しくも此の直立二足歩行によって今日其の存在を確固たらしめているという、此の事実が重要なポイントなのです。いま、人間が四本足で地上を這うことになったとしたならば、其の生を存続することは甚だ困難であろうと言われています。其の脳髄の重量は、最早人間の四足活動を不可能へと追いやるに十二分なまでに発達しているのです。嘗てヒトは四本の足で生活していたわけですが、いま人間となったヒトは、再び四本の足で地を這い回ることが出来なくなってしまったのです。

地を這っていたころのヒトにとって、其の脳髄は真に其のヒトの肉体と一体であったと言い得るものと考えられます。其の肉体と脳髄とは完全に一致し、一分の不均衡もなかった筈なのです。現に、イヌやウマなどの動物にして斯く言い得るのではないでしょうか。

脳髄と肉体との完全なる均衡、此れが、ヒトがその太古に別れを告げた動物たちの実態であると言って過言ではありますまい。

脳髄とは、外ならぬ肉体の其れであるからして、脳髄と其の肉体との均衡こそは真に自然として捉えられるべきものと思考され得るのです。

いま人間を見るに、其の脳髄と肉体との不均衡は、覆うべくもないほど真に顕著なることとなっています。此処に於いて、以下の考えが導き出されてきはしないでしょうか。即ち、其の昔の均衡を不均衡へと成らしめた其の脳髄、換言すれば其の肉体と均衡した分量を超えたいわば余分なる脳髄とでも言うべきもの、其処にこそ人間と他の動物との相違点が隠されているのではないか、と。

即ち、其れは脳の余裕とでも言うべき性格のものと言えましょう。此処に於いて、肉体および其れと均衡をなす脳髄、即ちヒトと其れに加添するところの余裕なる脳髄、此れこそが人間の実態であると理解され得るのです。

ヒトはかつて自然であった。だがしかし人間となったいま、人間は不自然となったとも言い得るわけです。

此処に人間、否、ヒトと言った方が適切であるかもしれませんが、兎に角其れを見つめる主体が姿を現すに至ったようです。

肉体および此れと均衡をなす脳髄はヒトであり、其のヒトを超え、ヒトをして超ヒト・超自然とならしめたものは、其の脳髄の不均衡部分、即ち、脳の余裕部分に外ならないということです。脳の余裕部分、此れこそが見つめる力の本源であるという論拠なのです。

斯くして此の余裕なる脳髄に於いて、人間は人間としての数々の特徴を発揮していくことになるのであり、其の偉大なる生を創造することになるのです。

〝見つめる力〟、其れは存在を存在として認識する能力なのです。『絶対存在（意識される以前の存在）』を存在と成し得る力なのです。何ものにも意識されない存在は、存在ではないのです。意識されて初めて其処に在ることになるのです。

実に此の〝見つめる力〟こそは、此の世界の暗号《コード》を解読する重大なキーワードなのです。

三　吾と我《自我発生のメカニズム》

〝我〟とは吾によって見つめられたところの対肉体的意識であり、〝吾〟とは肉体以前に於いて確固たる〝われ〟であると述べました。それでは、肉体以前の吾とはいったい何ものなのでしょうか。如何にして吾が意識されるのでしょうか。自我意識発生のメカニズムの問題です。

一を認識するためには、其のものは一プラスαでなければなりません。αとは距離であり、また超越と同値です。しかるに吾は吾を意識しています。では、吾は如何にして吾を意識し得るのでしょうか。吾の意識とは如何にして成立するものなのでしょうか。

前に、吾とは見つめる主体であると述べました。では其の見つめる主体は、如何にして見つめている主体である自己を意識するのでしょうか。

吾は見つめることに於いて、其の結果として其処に何らかの認識を結びます。其の認識は決して他のものの上に結ぶことはなく、常に見つめる主体、其の上に結ぶこととなります。何故なら、見つめるからこそ認識が生じるわけなのですから。

では、いま仮に、見つめる主体とは別個のものの上に認識が結ばれたとしてみましょう。此の場合、見つめる主体Aと認識主体Bとは同一ではなく、二つの別々のものになってしまうことから、Aは単に見つめるだけで何一つ認識することを得なくなります。Aは見つめるだけであって、其の結果を享受するものはBということになってしまうのです。

見つめるAと見つめられるものとの関係は、全くの一方通行と化す事態になります。

だがしかし、現に吾は認識しています。否、むしろ認識の中に在るからこそ、其の存在を確固たらしめていると言い得るのです。何一つ認識無くして生きることなど、とても出来る芸当ではありません。

要するに、見つめる主体は認識の主体でなければならないのです。見つめる主体は、認識の主体と一人二役でなければならない論理になるのです。認識という作用は決して見つめる主体と別個のものの上に焦点を結ぶことはない、見つめる主体と認識主体とは二者にして一者であり、一者にして二者であるということです。そして此の二者にして一者、一者にして二者なることに於いて、自己同一なる意識が発現されるものと思料されるのです。自己同一、即ち、見つめるという作用と認識作用とは同じ一本の道を往復する関係にあって、其処に他ではない自己を喚起させることになるのです。

見つめる存在から発せられた「力」の往った道を、何らかのレスポンスの基体が其の見つめる存在に向かって復路を辿り、そして其れに到達したとき、見つめる存在は其のレスポンスを生み出すのであり、其処に他ではない吾が意識されることになるものと考えられるのです。「見つめること」と「レスポンス」、此の因果性作用が一つのものの上に働くとき、自己同一的観念としての吾が形成されることになるのです。

此れが「吾」発生のメカニズムです。真に吾とは、他でないことに於いて吾なのです。

吾は其の二重主体であるがゆえに、二重主体が二重主体として作用したとき、其処に一者である自己を発見するのであって、此の二重主体の自己同一性に於いて、吾は他でないものとして、他には決して成り得ないものとして意識され得ることになると考えられるわけです。

だがしかし、此処でもう一度再確認しておかねばならない重要なポイントが一つあります。それは、我が見つめられた結果としての意識であるのに対し、吾は誰にも見つめられてはいないという点です。それにも拘らず吾が意識されているという事実です。此のことはいま述べてきた自己同一が全くの無距離に於いて為されるということ、そして吾は真に此の無距離感の意識に外ならないという二点によって理解し得る筈です。

此れこそは実に直観の意識であり、無距離性の意識なのです。

自我の本質とは何か、其れは取りも直さず無距離なるものでなければなりません。もし仮に何ものかが何ものかの外に認識されたとしたならば、其れは最早自己ではない他なるものに過ぎないのです。他なるものはあくまでも他にして、決して自己では有り得ないのです。斯くして吾は、其れが直観の形式上の意識であることに於いて、真に自我意識の根源と成り得る資格を具有するに至るのです。

では此処で再び動物について一考してみることにします。自我を持たない動物とは、どのように解釈され得るのでしょうか。

動物に於いても知覚作用が働いていることは確実です。寒さの折は毛をふくらませ、暑い日には舌を晒し、石を避け、水を飲み、そして人間に甘えるといった此れら一連の行動は、知覚という作用無くして考えることは絶対に不可能なことと言わざるを得ません。

では、此れらと人間の其れとは、何処がどう違うのでしょうか。あるいは全く同じものなのでしょうか。果たして動物の其れは、知覚にして知覚ではないのでしょうか。動物には吾が無いとしましたが、それでは吾が無い動物の内容とは一体どのようなものなのでしょうか。

吾とは見つめる主体であったわけです。そして此の吾に於いて人間は、其の知覚・行動の全てを人間其れ自身、即ち、吾自体のものと成らしめるのです。

人間である限り、其処には常に吾が付き纏っています。人間である限り、自分から離脱することは絶対に不可能なことなのです。

では自己の無い、即ち吾の無い動物は、其の知覚・行動を誰のものとしているのでしょうか。

自分が無いのですから其の知覚・行動を彼ら自身のものと為すわけにはいきません。彼らの知覚・行動は、彼ら自身のものではないという理屈になります。詰まるところ彼らの其れらは、全くの無主体なるものと言う以外にないのです。即ち、其の知覚を、其の行動を、そして其の他一切を統一し統率するものが無いということなのです。敢えて言うならば、其れは生命とでも言う以外にないものなのです。つまり、彼らの知覚・行動の全ては、全くの無関心性の裡に行われているものと解釈し得るのです。確かに彼らとて暑さ寒さを知覚し、咽の渇きを癒そうとも欲するわけですが、しかし其れを、其の一つ一つを見つめているいる主体が其処には存在していないということです。

全くの無関心性の裡に生けるものたち——彼らは全くの自然であり、全くの自然の創造物そのものに外ならないのです。

総ての行動が自然の一部として流れていくのです。此の動物に於ける無関心性に対して、人間は正に関心性であると言い得るものです。では、其の人間をして関心性たらしめている、吾と其の我との関係について、もう一度考えてみることにします。

先ず、吾、即ち、見つめる力の本質について。我の知覚・行動の全ては吾によって其の人間自身の知覚となり、行動となるということでしたが、では此れは一体どんな意味合いを其の言葉の裡に含んでいるのでしょうか。吾が其の知覚を見つめるとは、また吾が其の行動を見つめるとは、そして其れらを自分自身のものとするとは、どのように理解したら良いのでしょうか。

思うに此の仕組みについては、次のように考えて然るべきものと思われます。即ち、吾は間接的に其の知覚・行動を認識するということです。では、直接的に其れらを感知するものは何か、と言えば、其れは言うまでもなく、其の肉体と均衡を成しているところの脳髄そのものに外なりません。そして此の肉体と均衡を成している脳髄の反応を吾が見つめることに於いて、吾は其れを自身のものとして受け止めることになるのです。

肉体と均衡を成す脳髄は、其の肉体の行動と逐一同調し、肉体の知覚とも同じく同調するものでなければなりません。そして此の同調なるものを、吾が其の脳髄との延長としての本性をもって此れに連動することに於いて、此処に吾の見つめるという作用が現出せられることになるものと思考されるのです。

重要なのは、此処に見つめる力の本質が、真に此の連動作用に於いて解明され得るということです。其れは実に連動への可能性とでも言うべきものに外ならないのです。連動し得るという可能性、此れこそが見つめる力の本質であり、森羅万象の主体たるものの正に其れなのです。何故ならば、連動し得る可能性とは、常に外に向かって用意されているべき性質のものでなければならないからです。それゆえに、此処にこそ外に向かう凝視力が秘められているものと考えて然るべきことと思料され得るのです。〝見つめる力の実体〟とは、余裕脳髄の均衡脳髄への連動の可能性に外ならないのです。

以上が見つめる力の本質についての考察でしたが、では次に責任性の問題について少し触れてみることにします。

一切の事象が吾のものとなったいま、其処には我の行動への〝責任性〟といったものが考えられて然るべきかと思われます。責任性とは非自然性と同値です。自然なる行動を脱したとき、其処に人間が誕生したわけですから、それゆえに人間の行動の全ては主体たる吾の責任性に委ねられているものとの解釈が成立します。

吾の責任、其れは取りも直さず自律的存在である人間の姿を表象せしむるものと言い得るものです。自律的にして自主的なる存在、全くの無関心・無責任たる存在としての動物と訣別した人間が、其処に生きとし生きているのです。

人間は対人間関係に於いて、また森羅万象に対して、我として存在していることに間違いありません。だがしかし人間はそれだけではない、人間は其の我の内に、其の我を統帥する吾を内蔵しているのです。此の意味に於いて人間は、二重構造体であるとも言えましょう。二重構造体であるがゆえ、人間は人間と言うに値するのであって、此処に責任性が芽生えてくるのです。

神

（『究極の真理Ⅱ』第六章）

前章までに於いて、元始宇宙が己れを現今宇宙へと変化させ得る能力を有していない実態が赤裸となった。では、元始宇宙は如何にして現今宇宙へと変化し得たのか、見えない図式と見えない力。其処に見える霊妙なる存在――。私たち人間は奇しくも、其の偉大にして畏敬なる存在の心象を、反射的に想起出来る。

そして斯う呼ぶ―神―と。

最後に残る問題がある。

エネルギー粒子の集積は、如何にして存在するに至ったのか、其の出生の経緯を読み解く必要がある。

神は元始宇宙という総体の外《そと》に在る。これは神の『非物性』を顕示するに外ならない。

物の起源を探求するに当たって、新たに浮上した此の非物性を考慮のうえで物の本源を求めるとき、物は非物性から生じたと考えるのが理の当然であろう。絶対不変物である元始宇宙という物が、非物性を生じさせることは不合理だからである。

物の起源を探る〝甲から乙が生じる〟との思考方式上（補注　其の2　一五五頁）、明らかに物は乙であり、確実に非物性が甲の座を占める。

此処に非物性である神こそが、真に創造の本源に値し得ることが確定することになる。

斯くて就くべくして、此の世界の「最大単位」（補注　其の2　一四二頁）の座に就かれることになるのだ。此の世界の主《しゅ》として、名実ともに君臨することになる。

神は、其の権能の一つとして物を産んだ。自身は産まれずして此の世界の大本である。

これを人類の直証としても異論は有るまい。

とすればエネルギー粒子の集積は、正に其の権能の発現として理解出来よう。

現今宇宙がエネルギー粒子の集積から造られたことから見て、それは現今宇宙の創造に当たって用立てられた素材と解釈出来る。

これは直《ちょく》、神の力すなわち神のエネルギーの発現そのものと諒解するのが、ごく自然の成行きであろう。

斯くして全ては一点に帰因することとなる。

とすれば無限――。物には始まりがあり、其の始まりはエネルギー粒子が創出されたとき、即ち神のエネルギーの発現の時となると、此の宇宙には始まりがあって、其の始まりは有限の過去となり、無限は其の場を失う。

これは無限の過去を論拠に神に出会えた論理の存立原理を、根底から覆しかねない。

これは大いなる矛盾であるかのように思える。

神と出会えた論理に一分の瑕疵があってはならない。

とすれば解釈は、これまで述べてきた論理の延長線上で展開されることが絶対条件である。そして必ずや矛盾は矛盾でなく解決されねばならないのだ。

宇宙の始まりは神によるエネルギーの発現のときとなると、物に代わって神が此の世界の「最大単位」と成ることは先に述べた。とすれば神は最初からの存在にして、無限の過去からの存在となる。然らば此の神によって発現されたエネルギーの起源は如何に解すべきか。

是非を問うまでもなく、此れが正に神の属性そのものである以上、神と一体不可分の物であり、其の起源は無限の過去として捉えて然るべきものである。

なぜなら「最大単位」である神は、他からエネルギーを調達する術は無く、端から自身のエネルギーを具有すると考える以外に理は無いからである。

此のエネルギーの起源こそ物の本源であり、物とは此のエネルギーの『顕現』と知るべきであろう。

此処で此の顕現とは、物の置かれた場の変移によって、これまで人間の五感の対象外だったものが対象となって立ち現れる事象の意味であって、ゆえに物自体の変化は一切伴わないと見るのが理に適う。つまり、神の内と外との違いである。

今は、自在天の為せる業と、合掌して得道するも赦されると思料される。果たして此処に、物が無限の過去からの存在として展開してきた本論理との整合性が、また其れを論拠として神に出会えた論理に、一分の瑕疵や矛盾の無いことの論証が得られたことになる。

すなわち、これまで述べてきた神と出会えた論理の真理性および客観的確実性が立証されたことになるのだ。

神なくして此の世界は有り得ず、神有っての世界である実相が、いま解き明かされたのだ。

神との遭遇、これは宗教ではない。人間の論理を一《いち》から積み上げ築き上げた哲学として、初めて神との遭遇を果たしたのだ。

此処に人間の論理は、其の役割を終える。

人間の論理が、奇しくも宗教の説く世界観と極めて相似値的に終局し得たことは、人間思考の正当性の証左として甘受したい。

考えるということ

（『究極の真理Ⅱ』補注其の１第二節）

一　思考と凝視力

思考とは何か——。

先ず其の主体、其の営まれている場所は何処なのでしょうか。

思考しているのは誰か、其の主体は誰かと問われたとき、私たちは勿論其れは已れであると答える筈です。では、已れは已れの其の肉体の全てを駆使して考えているのでしょうか。或る意味に於いて斯く言えないこともありません。だがしかし、もう少し焦点を絞ることも不可能ではなさそうです。

私たちは、経験的あるいは直証的事実として、其の場所が頭部であることを承知しています。と同時に、思考をしているとき、我々は其処には常に吾が働いていることも知っています。思考中は、吾は一時たりとて、思考から目を転じることは不可能です。此のことは換言するならば、吾は、思考中は一切の客体を離れるということと同値です。一切の客体から離れたところに、初めて思考は可能となるわけであり、仮に吾が其の思考の過程に於いて何某かの客体を意識したとすれば、其れがどんなに短い時間であったとしても、其の時間、思考は中断される以外ないのです。

客体による思考の中断、此のことは取りも直さず思考に於いて、其の主体を為すものが吾であるということを、如実に物語っているものと解釈出来ます。

思考とは主体的かつ積極的なる営みであると解せましょう。我々は考えるべくして考えるわけであり、考えを纏めるべく懸命に努力するのですから。

思考の前提として、先ず問題を意識することになりますが、此の問題を見つけ出す作用一つを取ってみてもまた、吾自体の能動的な営みに外なりません。

客体を見つめる作用、此れ自体は既に其処に存在するものを表面的に認識するに留まり、其れ以上に追究する作用ではありません。

此れに比べて思考とは、より一歩踏み込んで内面をまで見つめんとする作用であると言い得ましょう。即ち、既知の客体を足場として、其の上に何某かを構築あるいは導き出さんとするわけですから、既存のものをただ其れとして凝視することよりは、遥かに積極的な作業であると言い得るわけです。既存の客体を超越して、其処に何ものかの連関・全体・法則性あるいは本質といったようなものを発見せんとするわけです。

即ち、其れまでの客体に対する認識を棄てて、いままでに見えなかった何かを其処に見つけ出そうと奮闘することになります。

思考の果実は創造されたもの、創出されたものです。

思考とは、何某かの創造を伴うものであり、何某かの創造を指向するところに思考の働く場が設定されるわけです。

そして其の何某かの創造は、思考の産物となって結実するのであって、其の投げ掛けの解答となる筈のものなのです。解、其れは人間の積極的営みに対する報酬とでも言うべきものかもしれません。其れは其の主体たる人間のみに帰着するものであり、何ものかを求めんとする人間の其の本性に対する祝福とも受け取ることの出来る体のものと言えましょう。

では、其の解答は、其の問題を意識した人間にとって如何なる要件を具備していれば足りるのでしょうか。解答とは、何をもって其れを成し得るのでしょうか。

解、それは、其の問いを意識した人間を了解させ得ることをもって十分なのです。人間は其の納得をもって其の問題を克服するわけであり、解決し得たことになるのです。

言うなれば問題とは、人間が得心し得ないところに生ずるものであって、其処には常に納得せんとする人間が存在していることは論を俟ちません。

納得とは、吾自体の納得であり、其れをもって其の人間を充足たらしめるには十分なのです。

思考とは、其処に問いを見出す者にとって、其の者自らに解を与えんとするものであり、其れは其の者への得心をもって終わるところの一連の創造作用なのです。そして此のときに其の主役を演ずるもの、其れは言うまでもなく吾以外の何ものでもないということです。吾は其の見つめる力を、未知なるものへ向けんとすることに於いて、思考の主体と成り得るのです。

此処に於いて、斯く言うことも可能でしょう。〝思考は、脳髄の余裕をもって初めて可能となる〟と。

余裕脳髄、此れこそは創造の場を人類に齎した〝人間発祥の場〟なのです。

思考とは正に人間固有のものであり、其れは能動的にして且つ、高貴なる営みなのです。

二　自然は無思考である

吾が客体を凝視したとき、思考が中断されること、あるいは思考中に吾は一切の客体を離れることからして、思考の主体が吾であることが明らかとなったわけです。それでは、果たして人間以外の動物は考えることが可能なのでしょうか。動物は果たして創造作用を為しているのでしょうか。

吾とは余裕脳髄であったわけです。動物にあっては、其の脳髄は其の肉体と完全均衡を成していると考えられるわけですから、其処には思考の主体となるべき吾は存在するべくもなく、よって思考は不可能であるという結論に即到達することになります。

動物とは、無主体・無関心性なる存在であると前に述べましたが、此の無関心性なる点に於いて、動物はただ単に表面的かつ平行的に外界と接しているだけなのであり、外界を、ただ其れを其れとして映しているに留まっているものと考えられ、其処には問題など提起される筈もなく、思考はナンセンスの一語に尽きるのです。動物は決して外界と交わってはいないのです。

思考する必要の無い存在、其れは正に其のものが自然であることを立証しているに外なりません。自然なるものが自然の中で生きていくとき、其処には何らの不都合・不合理も有り得ない筈でしょうから。もし仮に其処で何らかの不都合、不合理に出合ったとすれば、其のものは自然として生存し得ないのであって、其れは終いには自然界からの異端を余儀無くされる筈のものなのです。

自然にとって自然は全くの無関心性を示すものです。否、無関心性に於いて共存し得る点で、其れは自然であるということになるのでしょう。だが、此の世界には自然だけではない、此の自然に関わろうとするものが存在しています。其れは勿論人間であり、此の自然に関わろうとする点に於いて、人間は其の超自然性を露呈するのです。

人間は自然の中に問いを発見し、其れに積極的に関わろうとして、其の自然を克服し変革へと迫っていくことになります。

三　コギト・エルゴ・スムから

「われ思う。ゆえに、われ在り」

此れはデカルトのあまりにも有名な言葉です。全ての存在を疑っていった人間が、絶対に疑えない存在として認めざるを得なかったのが此の言葉であると言われています。では此の言葉の真髄は何処にあるのでしょうか。

前に〝吾とは思考の主体である〟と述べました。吾が客体を凝視したとき、思考が中断することなどからして、そう結論したわけです。実際、吾から離れた思考は存在し得ません。此れは直証的事実です。思考とは、吾に対し決して客体とは成り得ないもの、吾と常に一体となっているもの、と断く言い得るのです。

仮に、思考が吾を置いて、何処か離れたところで行われる作用だとすれば、其の思考は吾に対して客体と成り得ることになります。がしかし、其の結果は、果たしてどういう事態になるでしょうか。其処では、吾が思考を凝視したときにのみ、思考が成立するということに成らざるを得ません。換言すれば、吾の無いところで思考が進行していることになってしまうのです。

此のことは、吾の知らぬ間に問題が提起され、思考され、結論が出され、そして得心まで為されてしまうという状況を言っているに外ならないのです。即ち、こうした一連の問題の提起、思考、納得といったものが、全くの無関心性の下に為されるということです。果たして此れは可能なことなのでしょうか。問題とは、何に対しての問題なのでしょうか。納得とは、いったい何が納得するのでしょうか。

其の主体が何であるかは、既に自明のことです。思考とは吾自体の営みであって、決して他所のものではないのです。吾と常に一体であって、絶対に吾の客体とは成り得ないものと定義出来るのです。

要するに、思考とは吾に於いて為されるものという結論に達するのです。

此処に至って、初めて〝考えているわれは在る〟即ち、デカルトの言う「考えている自分の存在は否定し得ない」ということが論証され得ることになります。デカルトの言う〝われ〟とは、「吾」とすべきものであって、其れは直証的事実であり、此の吾と思考との一体性・非分離性・共存性・同時性等を指しているものと解釈され得るのです。

思考とは、吾の客体とは成り得ないことに於いて、真に直観なのです。吾との無距離なることに於いて、正に其れなのです。だが其れ以前に、吾、即ち自我意識其れ自体が、真に直観そのものなのです。

存在について

（『究極の真理Ⅱ』補注其の2第一節）

一　物とは何か

〝物〟とはいったい何でしょうか。確かに種々のものが〝物〟として存在し、且つ我自身とても〝物〟である筈なのですが、しかし、一度斯く問いを発してみると、其の解答にはかなりの注意を払わなければならないことに気付くのです。

では、物とは何か。

物とは、机でありペンであり植物であり、動物であり土であって星でもあります。其の他無数とも言えるものが挙げられ得るわけなのですが、それでは、物とはただ此れらの寄せ集めを指してそう言っているのでしょうか。此れらのものは確かに物であることに違いありません。しかし、単に此れらの総体を物と呼ぶというのでは、物をただ在るがままに観察しているに留まり、物の本質を知る手立てにはならないのではないかという懸念が生じてきます。人間は、此処でさらに一歩を踏み込む必要がありそうに思われます。

物としては、森羅万象悉く種々雑多なものを列挙することが可能ですが、それでは、其れら種々なる物が物であると言われるのは、どんな基準に基づいているのでしょうか。人間にとって、同じ〝物〟としての位置を占める以上、其れらの総体に共通する性質、あるいは総てのものに共通する本性とでも言った方が正しいかもしれませんが、兎に角そうしたものが其処に存在している筈だろうことが考えられます。では、其の根底に在るもの、其れら種々雑多なるものに宿る、其の共通項とは何か。

其の共通項を探る前に、物とは人間に対して如何なる意味合いを有しているのか、其の辺りから探ってみたいと思います。

人間は、物を物と呼ぶ。物を物であるとする——物を物であるとするためには、人間は物を知っていなければなりません。物を知っているとは、物を知覚し得るということと同値です。人間は、知覚することに於いて、物を物としているのです。では、知覚するとは、どういうことなのでしょうか。

　人間には五感が在ります。其の五感によって、人間は総てを捉えることになります。此の五感によって捉えられたときに、物は物となるということです。

　ところで人間は、五感によって捉えたもの以外のものをも持ち合わせています。

　其れは即ち〝観念〟です。観念については後で詳述することにしますが、此処では単に〝観念とは、人間が其の人間内部に於いてのみ出合ったものである〟とだけ言及するに留めます。

　観念とはあくまで観念であって、決して物では有り得ないことを銘記しておく必要があります。

　では、物とは何かと言えば、先に述べたごとく、其れは知覚することによって捉えられるわけですから、此処に於いて物とは、五感によって捉えられ得るものと定義出来ます。

それでは、五感によって捉えるためには、如何なる要件を具備している必要があるのか、此れが問題です。

先ず、触れることが出来るためにはどうでしょうか。人間が触れることが出来るためには、其のものは存在していなければなりますまい。では、視るためにはどうか。人間が視ることが出来るためには、此れもまた存在していなければなりません。以下、聴覚・嗅覚・味覚と、全て其れらは存在によって引き起こされるという点が重要です。即ち、五感の前提として、其処には存在がなければならないという帰結になります。

では、存在とは何でしょうか。何が存在なのでしょうか。存在が存在であるためには、其れは、人間によって、即ち其の五感によって捉えられ得る必要があります。即ち、存在とは物であり、物とは存在であるという事実が判明します。此処に於いて、初めて存在としての物、物としての存在が人間の五感によって捉えられるための要件が、問題となってきます。

では、人間が五感によって捉えることが出来るものとは何でしょうか。人間が現に其の五感によって捉えているもの、其れら無数なるものに共通していることとは何か。

此処で、点・線・面等について、少し考えてみることにします。

点とは、位置だけを示すものであって、大きさの無いものであり、線とは、太さは無いが長さが有るものであると定義されています。また、面については、厚さは無いが広さは有るとされています。では、大きさ無くして、如何にして点は其の位置を示し得るのか、如何にして太さの無いものが其の長さを示し得るのか。此のことは、面についても同様に言えることです。

即ち、此れらのものは明らかに観念なのであって、観念上の問題であると言うことが出来るのです。此れらのものは、観念をもってしか見ることの出来ないものなのです。つまり、観念そのものに外ならないのです。

此れら点・線・面は、一次元、二次元に属するものですが、それでは三次元のものはどうでしょうか。

三次元のものと、一次元、二次元のものとの相違は、其のものが容積を持ち得るか否かということに尽きるかと思われます。容積、即ち、体積です。体積を持っている以上、其のものは立体を成していることになります。

其れは、机であり、筆であり、木々であり、鳥であって星でもあります。此処に、此の章の問いを解決する鍵がありそうに思われます。即ち、此処で判明すること、此処で最も重要なポイント、其れは、立体とは物であり、物とは立体を成しているという点です。

此処に於いて、物は五感によって捉え得るということなのです。此処に於いて、物は物として認識されるのです。即ち、立体なるをもって五感の対象と成り得るのであり、立体なるをもって、物としての要件は充足せられることとなるのです。

此処に、物とは立体であるという原理が成立するわけですが、後に述べる空間あるいは無空間なるものとの連関に於いて、此処では一応〝物とは、満たされた空間である〟と言っておくことにします。

満たされた空間をもって物とすることに於いても、机も星も原子さえも、其の物としての地位を奪われることはないでしょうから。

二　空間とは何か

〝物とは満たされた空間である〟と言ったとき、此の満たされた空間なるものに対するものとしては、どのような事象が考えられるでしょうか。

先ず〝満たされた〟という点に着目するならば、〝満たされていない空間〟というものが考えられて然るべきかと思われます。〝満たされていない空間〟とは即ち、空間と言われるものに外なりません。

では、此処で此の空間について一考を試みることにします。空間とは何か、と言ったとき、其の解は明白なることのように思われます。だがしかし、実際そうでしょうか。空間とは、単に〝スペース〟なのでしょうか。

空間と言ったとき、其れは物と物との間であると解釈して間違いないように思われます。では、此のことを少し詳しく考察してみることにします。

物と物との其れであるからして、空間其のものは物ではないということになります。否、物であってはならないのです。

此れが重要です。物とは、人間の五感によって捉えることが可能であるもの、という定義であったわけです。がしかし、いま此処で空間とは物ではないという理屈になったのですから、此のことは、空間とは五感では捉えることが不可能なものであるということに外なりません。

が果たしてそうでしょうか。現に我々は空間を知っているように思っています。空間を現に見ているように感じています。そう信じて疑わないのです。では、空間とは物であるのでしょうか。仮に空間が物であるとするならば、物と物との其れとしての空間は、存在の場を追われる羽目になってしまいます。とすれば、やはり空間は空間にして、物ではないとしなければなりません。

では、我々が現に見つめ、現に指さしている空間とは、いったい何なのでしょうか。其れは即ち、物であると言うことが可能なのです。と言うと、何か矛盾があるように感じられると思いますが、そうではありません。物であるとは言っても、空間が物であるということではないのです。我々は、物と物とを見つめて、其の間をただ観念的に捉え、其れを指して空間と言っているだけのことなのです。人間は物と物とを見つめたとき、其処に空間を見ているように感じるのですが、しかし其れはあくまで人間の頭の中に於ける創造作用に過ぎないものなのです。

人間は物と物から、其処に何某かのものを観念的に形成し、其れを空間と称しているのです。

空間とは詰まるところ観念であり、決して五感的には見ることも触れることも出来ないものなのです。我々は物を見て、其の二次的、副次的なるものとして、其処に空間を意識することになるのです。空間とは、意識に過ぎず、人間の脳髄の内にのみ存在するものであって、決して物と同等なる立場に於ける存在ではないのです。ただ人間が勝手に其の観念を物と物との間に組み込んで、其の物と同格視しているに過ぎないのです。物と同格視するがゆえに、空間があたかも五感によって捉えられたものであるかのごとくに錯覚するのです。

空間とは、言わば、人間観念の物的地位への投影とでも言うべきものです。其れは、あくまで影であって、決して本体ではないのです。

では、此の影なる空間について、いま少し幾何学的思索の目を向けてみることにしましょう。

物とは満たされた空間であったわけです。此のことは、物とは立体であるということとさして変わりは無いように思われます。がしかし、此れら二つの間には、実際、大きな相違があるのです。ただ単に立体であるというならば、それでは空間も物ではないか、ということになってしまうからなのです。物とは確かに立体です。それゆえ、物と物とによって其の存在の場を与えられている空間も、当然のこととして立体を成してくることになります。何故なら、言うまでもなく、立体と立体とを思考に於いて直線的あるいは平面的に繋いだとき、其処に生じる其の空間とは、必然的に立体と成らざるを得ないからです。

仮に、立体は物である、とでも定義するならば、空間も其の結果、物としての地位を授かることとなってしまいます。が、此のことが矛盾を呈することは前に述べたとおりです。即ち、物と物との其れが、其れ自体物であるとするならば、空間は其の存在の場を失う羽目になってしまうのは言わずもがなです。

空間は物であってはならないのです。此のことは、空間の根本原理であると言って過言ではありますまい。それゆえ、物とは満たされた空間であると言う以外に適当な表現方法は見当たらないのです。そして此処に於いて、空間とは満たされていない空間である、という帰結になるわけです。

では、此のことは前に少し触れたところではありますが、いま述べたことに関連して今一度検討を加えてみたいと思います。其れは、物と物とを結んだとき、其処には立体が出現するということでしたが、此の物と物とを結ぶ際に少々問題になってくることがあるということです。即ち其れは、物と物とを結ぶという行為は、直線的あるいは平面的に為されるべき思考作用であって、決して曲線あるいは曲面であってはならないということです。何故なら、曲線あるいは曲面をもって物と物とを結ぶならば、其れはあまりにも観念的、故意的なものとなってしまうからです。物と物とを結ぶということ自体、既に観念作用であるのに、その上にさらに観念的要素を塗り重ねることはあまりにも不自然であり、延いては空間の無秩序を引き起こす事態にも成り兼ねないのです。空間とは、真に直感的に結ばれて然るべきものなのです。

では、此処でまた話を元に戻すことにします。物と物とを結んだとき、其処に考えられるものは立体であったわけです。がしかし、此の立体は決して物であってはならないのであって、其の実体は観念であったわけです。

それゆえに其の空間は満たされてはいないということになるのであって、満たされていない立体であるからして、空間はあくまで空間であって物ではないという結論になるわけです。しかし此処に於いて、斯く言うことも無謀ではありますまい。空間も満たされている、と。しかし、ただ其の満たしているものが、一次的ではない、二次的存在としての観念であるという点を、忘れない限りに於いて。

結局、空間とは観念であると断定して間違いはないのです。

三　無空間なるもの

物が満たされた空間であると言ったとき、此れに対する概念として、満たされていない空間が考えられたわけですが、此処にあと一つ、満たされた空間に対するものとして、無空間なるものが考えられて然るべきかと思われます。

物も、そして空間も、共に空間を有しています。此れら二つに対するものとしても、此の無空間なるものが考えられ得るわけです。

では、無空間なるものとは、五感によって捉えることが果たして可能なのでしょうか。仮に可能であるとするならば、言うまでもなく此のものも物としての立ち位置を与えられて然るべき筈です。

では、如何にすれば無空間なるものを想定することが出来るのでしょうか。そして其れが果たして物であるか否か、どのようにすれば判定を下すことが可能なのでしょうか。

人間の周囲には、現に空間が存在しています。では、此の中に無空間なるものが存在しているのでしょうか。いま、無空間なるものとしての適例が見当たらないとすれば、人間は其れを想定する以外にないのであり、此れが先に想定すると述べた理由です。

だがしかし、単に想定するとは言っても、此の問題はそう簡単には行きそうにありません。其れは何故か。即ち、初めから無空間なるものを想定し、其れを人間の前に置くならば、其れは恰も客体のごとくに成り済まし、其の存否を考える以前から実際に存在するかのような錯覚に、見るものをして陥らせてしまう危険性を孕んでいるからです。実際に存在するか否かが問題となっているいま、無空間なるものを想定し、其れを客体として、人間の前に据えることが果たして適当であるかどうかの疑問が生じてきます。斯うすることは果たして正当な方法でしょうか。

そこで以下のように考えてみることにします。無空間を想定すること自体が、其れを客体としてしまう危険性に於いて抵抗があるならば、それでは無空間を主体と同一の場で考えてみてはどうか、ということです。

主体と同一の場とは、即ち、主体を、其れすらも客体の場へスライドさせてみることに外なりません。即ち、斯うすることによって、主体と客体との隔たりを取り去り、対等の場に於いての観察が可能になるものと考えられるからなのです。

此のことは客体を客体ではなくするということであって、主体と客体との関係性を排斥させ得るとの論理であり、延いては、公正なる判断を導き出せるものと確信したのです。

此れは、人間それ自体をも客体の中で捉えるということです。人間すらも客体と同一の場に据えて、そして其処に在る人間に対する客体、即ち無空間なるものが果たしてどのような意味合いを有するものであるかを検証してみるわけです。

では、其の客体となった人間にとって、無空間なるものは果たしてどんな位置を占め得るものであるのか。其れは結局、人間を其の無空間の中に立たせる結果になるわけなのですが、兎に角其の無空間なるものを、我々自身も客体となって体験してみることにいたしましょう。

先ず、此処で五感を中心に据える必要があります。即ち、五感を持った人間を中心に定立させるのです。そして次に、其の人間から少し隔たりを取って、其処に二つの物体、即ち、満たされた空間なるものを、お互いに接することなく置くことにします。実際問題としては、我々の周囲には沢山の、それこそ無数とも言い得る物が存在しているわけなのですが、此処では此れらを単に複数として解釈し、同じ複数であってしかも其の最も単純な模式であるところの、二つの物を設定することにします。

此処でいままで述べてきた内容を図式的に、それも最も簡単な図式に纏めるならば、次のように言い表せましょう。即ち、中央に五感を備えた人間が居り、其の一方の側に、人間から少し距離を取って二つの物が互いに接することなく位置しているといった構図です。

　では、早速、此の図式に於いて、無空間なるものを体験することにします。

　二つの物はどちらも満たされた空間ですから、此処に二つの空間が存在することになります。そして、此れら二つの物と、人間との三つを繋ぐことによって、もう一つ空間が現れることになり、此れら三つの空間が前に述べた図式に現れるところの、全ての空間であることになります。人間それ自体も空間に違いありませんが、此処では単に見つめる力として、一応一点として考えておくことにします。

　では、此処に現れた此れらの空間から、無空間なるものを導き出してみましょう。言うまでもなく、無空間とは空間の無いことを言うのですから、無空間なるものを導出するためには、此れら空間の全てを、此の図式から取り除けばよい理屈になります。

　先ず二つの物のうち、一方を除去してみることにします。此処に於いて、残りは、一つの物と、其の物と人間との間に成立するところの空間との二つだけという構図になります。

では続いて、残った一方の物も除去することにします。此処に於いて、空間は全て無くなったことになります。斯くして無空間なるものが此処に現出された筈です。では、其処に現れたものは何か。其処に残ったものは果たして何なのでしょうか。図式上は人間だけが残された形になります。此れは空間ではありますが、先に一点として考慮しておいたわけですし、また此れは、見つめる主体であるからして、此れを除去することは不可能です。もし仮に此れを排除してしまうならば、無空間が再び人間にとって客体の場で云々されることになってしまい、問題が振り出しに戻ってしまうからです。

此の人間は、無空間なるものを体験せんとする、重要なる存在なのです。が、斯う言っているうちにも無空間は既に出現してしまっているのです。それも此の重要なる存在としての人間の前に。

即ち、二つの物のうち、後まで残っていた一方の物を除去したとき、人間は無空間の真直中に位置するシチュエーションとなったわけなのです。無空間なるものが既に人間の上に起こっているのです。

では、其の無空間なるものとは何であるのか。其れは、果たして五感の対象と成り得るものなのでしょうか。

端的に言って、其れは人間自身である、ということになります。人間自身が無空間を現出させているという恰好になります。此れはどういうことかと言うと、其れは、無空間となった其の時に於いて、空間が人間に吸い寄せられ、人間から一歩たりとて其の隔たりを持ち得なくなった状況を示しているのです。即ち、物を凝視することによって、人間の表面から其の物まで伸び広がっていったと考えられるところの空間が、其の物の消滅とともに、人間そのものの上に、否、其の人間の肌そのものまで引き縮められ、人間の肌そのものとなって同化してしまったことを意味するに外なりません。即ち、無空間とは、人間から一切距離を成すものが無いことと同値なのです。

従って其れは、人間其れ自体、人間其のものに外ならないという結果になります。そして人間はいま、其れにも拘らず、無空間なるものの真直中に位置しているということなのです。

では、人間は其の人間自身の上に、いま起こっている其の無空間なるものを、果して知覚し得るものでしょうか、し得ないのでしょうか。

現に人間が其処に知覚し得るもの、其れは、其の人間自身の其れでしかない筈です。人間は、其処に己れ自身しか知覚し得ない筈なのです。己れは人間です。人間は人間であって無空間ではありません。とすれば、其の人間から其の人間自身に起因するところの知覚を全て取り去ったとき、其処には零の解しか出てこないことになります。即ち、其の人間の上に現に無空間なる事態が進行しているにも拘らず、人間は人間自身しか知覚し得ないということになるわけです。つまり、人間は無空間なるものを知覚することは出来ない、という結論に達するのです。

無空間なるものは物ではないのです。其れは空間と同じく、真に観念でしかないものなのです。

斯くして、物とは満たされた空間であるとの前提から出発して、いま此処に、其の物に対立する概念としての空間および無空間なるものが、物ではないという結論に達したことによって、〝物とは満たされた空間である〟ということが確定され得たことになるわけです。

四　観念

物とは満たされた空間であることが究明されました。ところで、其の物が物であるための根拠は、其のものが五感によって捉えられたもの、言い換えれば、五感を喚起せしめ得るものという点にあったわけです。それでは、此の世界には物だけしかないのでしょうか。総ては物なのでしょうか。

斯く考えてみたとき、我々は素早く、物ではないものの存在に気付く筈です。即ち、其れらは其れを想像上で出合うことは出来ても、其れを人間の外には発見し得ないといった類のものです。では、其の人間の外には無いが内には在るものとは、何なのでしょうか。

此処で留意せねばならないこと、其れは、五感は外に向かうという本性です。総ての知覚は吾に集中されています。

知覚は総て吾に向かうのであって、決して吾から外へ向かうものではないのです。吾とは凝視力であったわけです。そして此の凝視する力が外部へ積極的に指向していることによって、初めて知覚が吾に集中される結果になると考えられるわけです。

換言すれば、吾によって五感的に捉えられたものは総て、吾の外に在ると言い得ることになります。

此の、吾の外に在って、吾に何らかの知覚を齎すもの、其れが物であるわけです。即ち、物とは、吾が其の外に於いて出合ったものと言い得るのです。

では、吾の内に在るもの、内に在って外に無いものとは何なのでしょうか。吾が外に於いて出合ったものが物であるならば、此れは吾が内に於いて出合ったものであると、斯くも言える筈です。人間が其の内に於いて出合ったもの、其れは、人間が外から取り入れたものではないということです。

先に、其れらのものは、其れを想像上で思い描けると言いましたが、此の作用は、即ち思考作用に外なりません。其れらは、思考に於いてのみ人間が出合い得るものなのであって、決して人間の外には発見することが出来ない類のものなのです。要するに、其れらは人間の創造物なのです。人間の思考に於ける、精神的創造物なのです。

此れが観念というものです。観念、其れは人間の内にのみ存在し得るものであって、決して人間の外には存在し得ないものなのです。

ただし、観念も時として外的存在へと変化する可能性を有しています。即ち、先に理論的に求められたものが其の後に於いて五感的に確認された、というような場合です。此のような場合、観念は観念ではなくなって五感の対象へと移行するのであり、其のとき其れは人間の外なる存在として発見されるのです。

ところで、此処で大切なことが一つ銘記されねばなりません。其れは、観念が人間の創造物であることに於いて、其の〝二次的存在性〟が明らかになってくるという点です。観念の二次的存在性、其れは観念の後人間存在性と同値です。観念とは、後人間なる存在であって、其れは後人間存在なることに於いて、後物質なる存在なのです。即ち、物質、そして人間、それから観念という順序になるわけであり、此れが此の世界の〝派生秩序〟として考えられ得ることになります。

では、此の論点について、いま少し次の項で論考してみることにします。

五　独自存在と付随存在

人間とは、物と観念とから成る世界に住めるものと断言出来ましょう。

では、此の二つのものについて、其の存在の性格をもう少し明らかにしてみたいと思います。

〝物〟とは、人間の外に存在するものであったわけですが、人間其れ自体も物から成っているのですから、人間もそのまま物であると言って差し支えない筈です。とすれば、物は人間と同格ということになります。人間と同格の地位に在って、人間と対峙していることになります。此のことは、物は其れ自体で独自に存在しているということを意味しています。其れ独自に於ける存在、此れをいま〝独自存在〟と呼ぶことにします。

では、次に観念について。

観念とは、人間の思考作用によって創造されたものであり、其れは人間の外には存在し得ないものであったわけです。人間の内にのみ、其の存在の場を確保し得るものであったわけです。

此処で分かること、其れは、観念にあっては、其処に人間が在って初めて其の存在を確認され得るという直証です。其れは決して人間と離反せる状態に於いて存在し得るものではないのであって、此のことは、観念の人間に対する非同格性を示唆することに外なりません。即ち観念とは、人間に対し常に追随の関係にあるということです。決して物のように人間と対等の場に立つことは不可能なものなのです。此の観念を指していま〝付随存在〟と呼んでおくことにします。

では、独自存在と付随存在とは、どちらがより本源的なる意味に於ける存在であるのかと言えば、其れは言うまでもなく、独自存在としての物であるとして疑いを入れません。即ち、付随存在なる観念は、人間によって創造されたものであって、其のことは換言するに、物による創造物であるとも言い得るからです。観念とは、後物質なるものであって、決して物と同格なる存在では有り得ないのです。人間に対する付随性、其れはそのまま物に対する其れとなるのです。そして此処に於いて、物は独自存在として、付随存在たる観念よりも一歩を前に踏み出す形となるのです。

それでは、物は観念より一線を画すことに於いて、存在の最前線に立つものであると言い得るのでしょうか。

物が観念より一歩前に出られるのは、観念が後人間なる存在であるからであり、そして且つ、物は人間と同格であることに於いてです。

では、人間と対等なる存在であるところの物と、其の人間との間には、前後の関係は生じないものでしょうか。

此れは前にも触れたところではありますが、人間は確かに物理的なる存在であり、此の意味合いに於いて、当然、人間は後物質であるということになります。此のことは即ち、人間以前に物が存在しない限り、人間は其の存在の場を発見し得ないということです。此処に於いて、物は人間との、物としての対等関係を破棄して、人間より一歩を前に踏み出す形になります。即ち、物・人間そして観念の配列が此処に確立するのです。

そして此処に至って初めて、物が此の世界の最前線に君臨するものであるか否かの問いが発せられるステージになります。

人間が物と観念との世界に住んでいることに於いて、且つ、物が観念に先立つ存在であることに於いて、物が此の世界の最前線に君臨するものであろうことは当然のごとくに思われます。だがしかし、人間にはまだ問題が残っています。此の物より前なる存在といったものが在りはしないかとの強迫観念です。此のことはやがて、存在と無との問題となって浮上してくることになりますが、此れについては後に譲ることにして、此処では、物と人間とは共に物であるという点に於いて同格なのであり、此の同格なることに於いて物は独自存在であるということ、そしてまた、此の独自存在であることに於いて、物が観念と一線を画するものであるという点が、重要ポイントとして記憶されねばならないのです。

おわりに代えて

此の世は日々　闘いの連続である
誰それではない　自分との闘いである
此の世の基本は　個人の努力
でも　限界がある
差し伸べられた其の手は　〝助けてあげる〟
ではない
共に生きていこうのサインと信じる
誰かがだれかに　手を差し伸べる
其の眩しさに細められた視線を感じながら
人類は　此の世を生きる
祝福を!!

著者プロフィール

大野 聖（おおの きよし）

1947年生
埼玉県出身、在住
早稲田大学卒業
中学時代、クラブ活動で〝科学部天文班〟に所属
公務員時代、法律専門誌に情報公開に関する論文を発表
既刊書に『天地潰滅』（2016年）『究極の真理　生か死か　人間とは宇宙とは』（2017年）『神の存在を証明する‼　究極の真理Ⅱ』（2021年すべて文芸社刊）がある

此の世の全容解明に成功‼

魂発見　あの世の存在を証明する　究極の真理Ⅲ

2023年10月15日　初版第１刷発行

著　者　大野 聖
発行者　瓜谷 綱延
発行所　株式会社文芸社
〒160-0022　東京都新宿区新宿1－10－1
電話　03-5369-3060（代表）
03-5369-2299（販売）

印刷所　株式会社フクイン

ISBN978-4-286-24527-0